A Dorling Kindersley Book
Conceived, edited and designed by DK Direct Limited

À l'attention des parents

Cet album emmène les enfants à la découverte d'un monde mystérieux, protégé par les coquilles, les écailles, les carapaces. Il leur montre à quoi ressemble une tortue sous sa carapace et ce qui se passe dans la coquille d'un escargot ; il leur explique comment une huître fabrique une perle et comment fonctionnent les grandes pinces du crabe. Un livre à partager avec votre enfant, pour le plaisir de découvrir ensemble.

Copyright © 1991 Dorling Kindersley Limited, London
Titre original : What's inside ? Shells

© 1992 **De Boeck-Wesmael** s.a., Bruxelles, *pour la version française*
D 1992/0074/34   ISBN 2-8041-1598-4
Exclusivité en France : **Gamma Jeunesse**, Paris
D 1992/0195/70   ISBN 2-7130-1356-9
Exclusivité au Canada : **Editions Saint-Loup Inc.,** Montréal
Dépôts légaux 3ᵉ trimestre 1992
Bibliothèque nationale du Québec
Bibliothèque nationale du Canada
ISBN 2-921450-01-1

QU'Y A-T-IL À L'INTÉRIEUR ?

COQUILLES ET CARAPACES

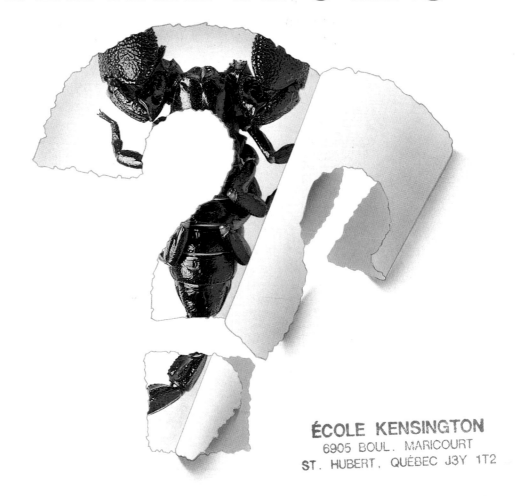

De Boeck – Gamma Jeunesse – Éditions Saint-Loup Inc.

L'ESCARGOT

L'escargot a le corps humide et couvert de bave gluante.

Il avance très lentement, grignotant des feuilles sur son passage.

En hiver, il s'enroule à l'intérieur de sa coquille et dort jusqu'au printemps.

Les yeux de l'escargot se trouvent au bout de ces deux tentacules.

Avec ces deux petites antennes, il touche et goûte tout ce qu'il trouve.

La coquille de l'escargot s'enroule en spirale. Elle grandit en même temps que lui.

Il n'a pas de pattes, mais un seul grand pied qui glisse sur une couche de bave gluante.

Avec sa langue, rugueuse comme
une râpe à fromage, l'escargot arrache
de délicieux petits morceaux de feuilles.

Voici son cœur.

C'est dans cet espace vide
que l'escargot rentre la tête
quand il disparaît dans sa coquille.

Voici ses reins,
qui rendent la bave
encore plus gluante.

La bave sort
par ici.

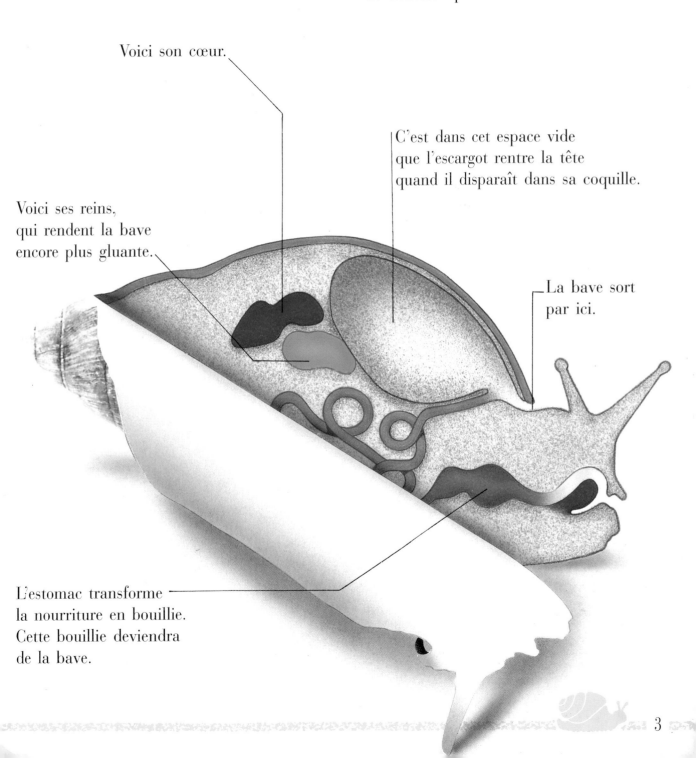

L'estomac transforme
la nourriture en bouillie.
Cette bouillie deviendra
de la bave.

3

L'HUÎTRE

L'huître est un coquillage qui vit dans la mer.

Elle s'enterre dans le sable ou dans la vase, ou se fixe aux rochers.

Elle se nourrit de plantes et d'animaux minuscules qu'elle trouve

dans l'eau qui tourbillonne autour d'elle.

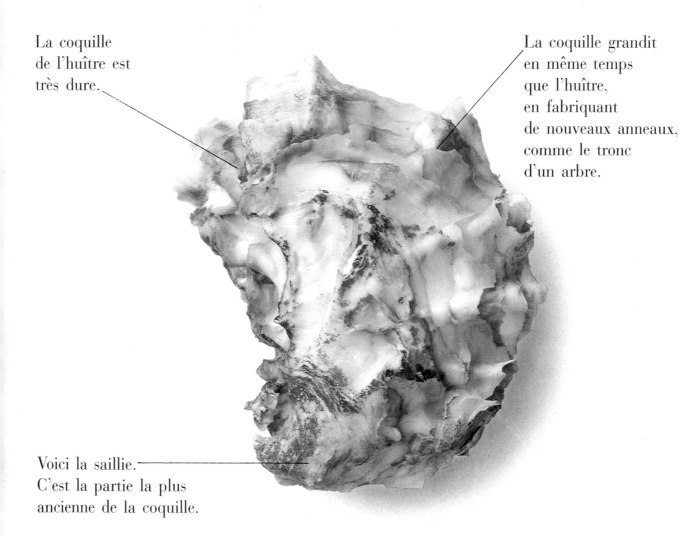

La coquille
de l'huître est
très dure.

La coquille grandit
en même temps
que l'huître,
en fabriquant
de nouveaux anneaux,
comme le tronc
d'un arbre.

Voici la saillie.
C'est la partie la plus
ancienne de la coquille.

L'huître entrouvre sa coquille juste assez pour que l'eau s'engouffre à l'intérieur. Des petits poils retiennent les plantes et les animaux et les dirigent vers la bouche de l'huître.

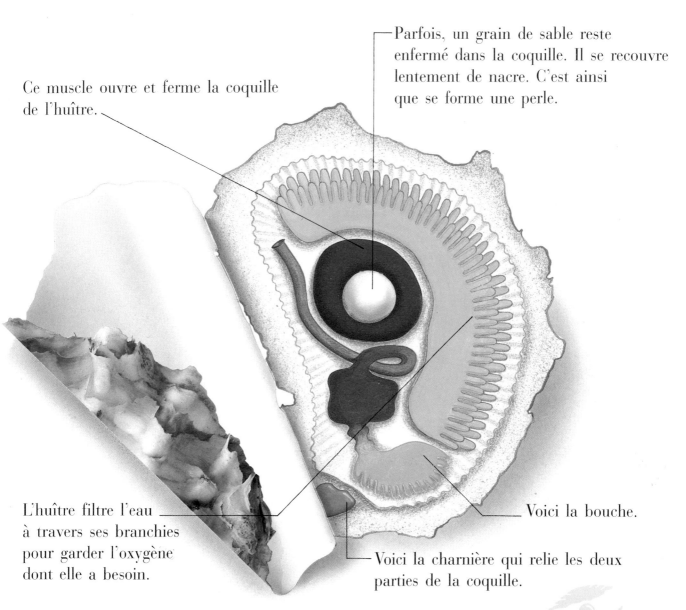

Parfois, un grain de sable reste enfermé dans la coquille. Il se recouvre lentement de nacre. C'est ainsi que se forme une perle.

Ce muscle ouvre et ferme la coquille de l'huître.

L'huître filtre l'eau à travers ses branchies pour garder l'oxygène dont elle a besoin.

Voici la charnière qui relie les deux parties de la coquille.

Voici la bouche.

LA TORTUE

Les tortues ont une carapace blindée comme un tank.
Cette carapace les protège. Quand elles ont peur de quelque chose,
elles rentrent la tête et les pattes à l'intérieur et restent à l'abri
jusqu'à ce que le danger soit écarté.

La tortue marche lentement parce
que sa carapace est très lourde.

Elle mange des limaces,
des escargots, des vers
de terre et des feuilles.
Elle n'a pas de dents,
mais un bec en corne,
comme les oiseaux.

Avec ses puissantes griffes,
elle creuse la terre pour se faire
un nid.

La peau de ses pattes est très
épaisse, toute plissée et couverte
d'écailles.

La tortue a un long cou :
elle peut ainsi pousser la tête
en avant pour regarder autour d'elle.

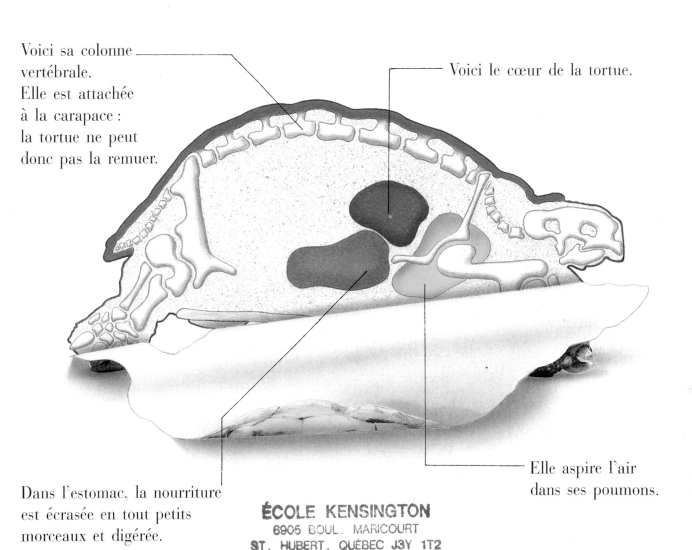

Voici sa colonne
vertébrale.
Elle est attachée
à la carapace :
la tortue ne peut
donc pas la remuer.

Voici le cœur de la tortue.

Dans l'estomac, la nourriture
est écrasée en tout petits
morceaux et digérée.

Elle aspire l'air
dans ses poumons.

LE CRABE

Les crabes vivent dans la mer, près du rivage.
À marée basse, on en voit parfois trotter sur la plage,
à la recherche de nourriture.

Avec ses énormes pinces, le crabe nage,
attrape sa nourriture… et pince
les orteils !

Sa carapace,
dure et brillante,
protège son corps.

Il a huit pattes,
recouvertes
d'une carapace.

Les crabes ne se déplacent ni vers l'avant
ni vers l'arrière, mais en biais. Ils courent assez
vite. Certains escaladent des falaises
ou grimpent aux arbres.

Ces muscles puissants ouvrent
et ferment les pinces.

Les minuscules yeux
du crabe se trouvent au bout
de ces deux tentacules.

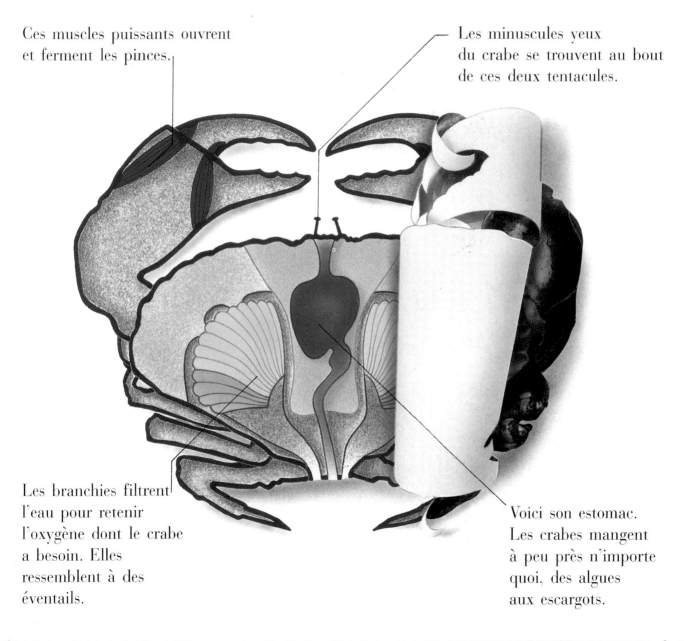

Les branchies filtrent
l'eau pour retenir
l'oxygène dont le crabe
a besoin. Elles
ressemblent à des
éventails.

Voici son estomac.
Les crabes mangent
à peu près n'importe
quoi, des algues
aux escargots.

LE SCORPION

Les scorpions ont au bout de la queue une arme étonnante :
un dard empoisonné. Ce poison tue les insectes.
Mais certains scorpions pourraient tuer un homme.

Avec ses larges pinces,
le scorpion attrape et retient
ses proies.

Le scorpion a un dard pointu
au bout de la queue. Il s'en
sert pour se défendre et pour
tuer de gros animaux qu'il ne
peut pas tuer avec ses pinces.

La carapace du scorpion
est complètement imperméable.
Ainsi, son corps ne se dessèche pas.

Une nouvelle carapace se forme en dessous
de la première. Lorsque le scorpion, en grandissant,
se sent trop à l'étroit dans son ancienne carapace,
il la fait voler en éclats et s'en échappe.

Les scorpions ont huit
petits yeux…

Voici le cerveau du scorpion.

…et deux
yeux
principaux,
plus gros.

Le poison contenu
dans le dard
est fabriqué ici.

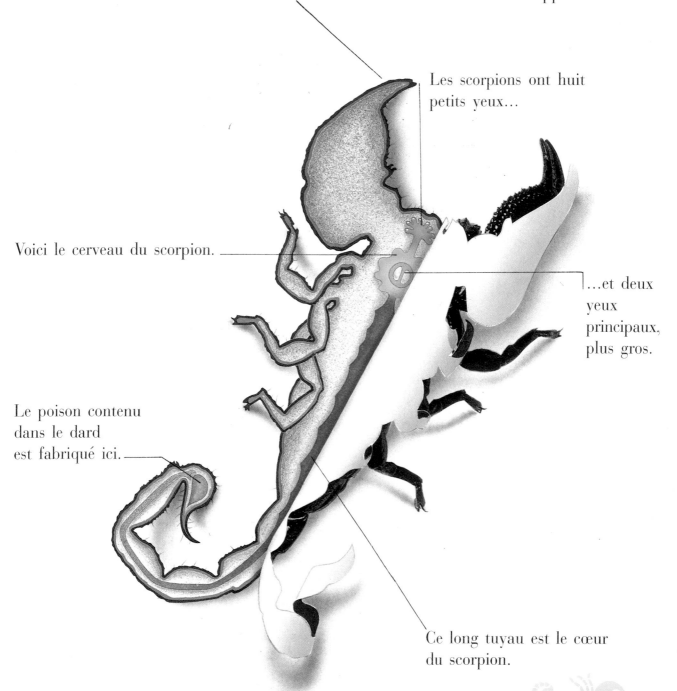

Ce long tuyau est le cœur
du scorpion.

11

LE NAUTILE

Le nautile appartient à la même famille que la pieuvre.
Il vit dans les grandes profondeurs des mers tropicales.
L'ancêtre du nautile est apparu sur terre avec les premières
formes animales, il y a des centaines de millions d'années.

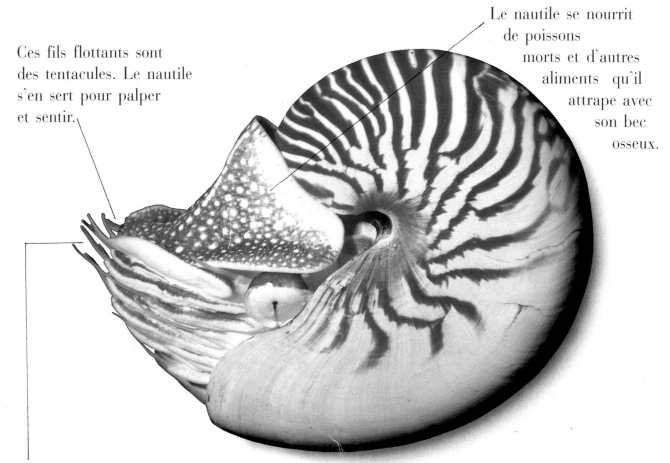

Le nautile se nourrit
de poissons
morts et d'autres
aliments qu'il
attrape avec
son bec
osseux.

Ces fils flottants sont
des tentacules. Le nautile
s'en sert pour palper
et sentir.

Au bout de chaque tentacule, il y a
des petites lignes de peau rugueuse qui
permettent au nautile de s'accrocher aux
pierres et aux coquillages.

Le nautile nage à reculons en aspirant
l'eau dans son corps, puis en la rejetant.

Le nautile naît dans une coquille minuscule. En grandissant, il ajoute de nouveaux compartiments, plus grands, à sa coquille, et s'y installe.

Sous le bec, le nautile a une bouche, avec une langue et des dents.

Ces compartiments se remplissent d'eau et de gaz pour que le nautile puisse monter et descendre dans la mer.

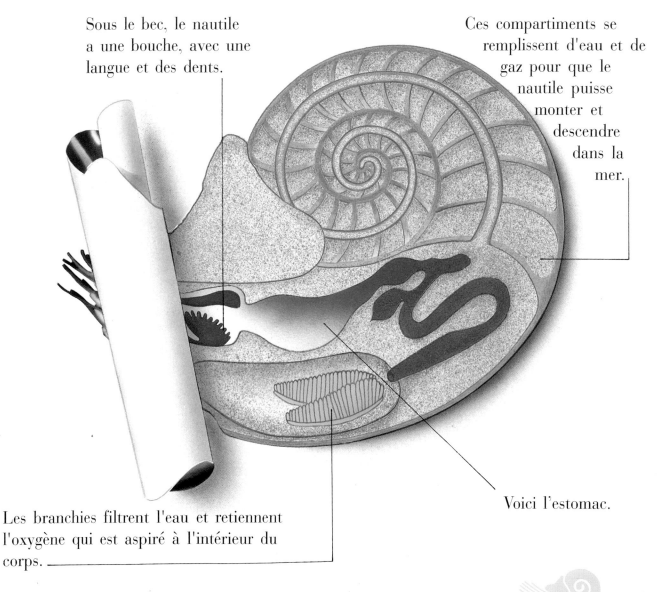

Voici l'estomac.

Les branchies filtrent l'eau et retiennent l'oxygène qui est aspiré à l'intérieur du corps.

L'OURSIN

Les oursins vivent en bord de mer, dans les rochers. On pourrait les confondre avec des plantes inoffensives, flottant doucement dans les flaques d'eau de mer. Mais ils sont couverts de piquants, alors ne marche pas dessus !

Des piquants protègent l'oursin de ses ennemis. —

L'oursin se déplace sur des pieds en forme de tuyaux.

Chaque pied se termine par une ventouse qui permet à l'oursin de se fixer aux rochers.

La bouche de l'oursin se trouve sous le corps de l'animal, face au fond marin.

Les piquants poussent à partir de ces bosses.

Les déchets de nourriture sont évacués par ici.

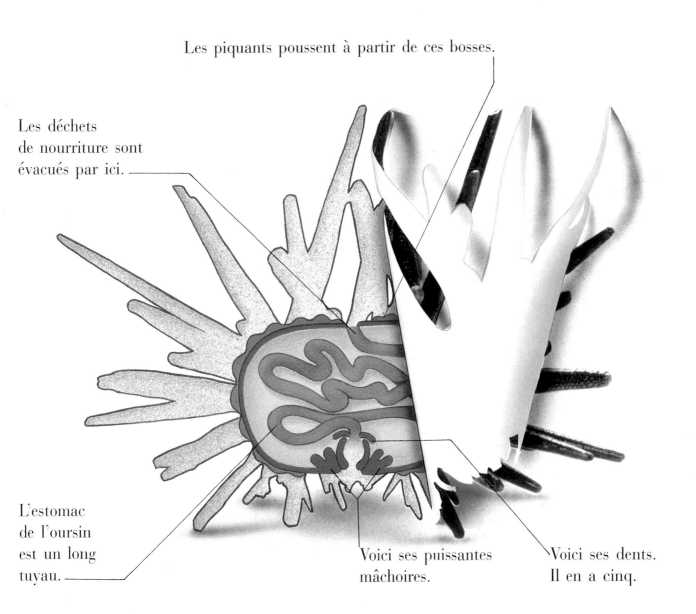

L'estomac de l'oursin est un long tuyau.

Voici ses puissantes mâchoires.

Voici ses dents. Il en a cinq.

LE BERNARD-L'ERMITE

Le bernard-l'ermite n'habite pas sa propre coquille.

Il préfère s'installer dans des coquilles abandonnées par d'autres crustacés.

Quand sa maison d'emprunt devient trop petite, il en cherche une plus spacieuse et se glisse à l'intérieur.

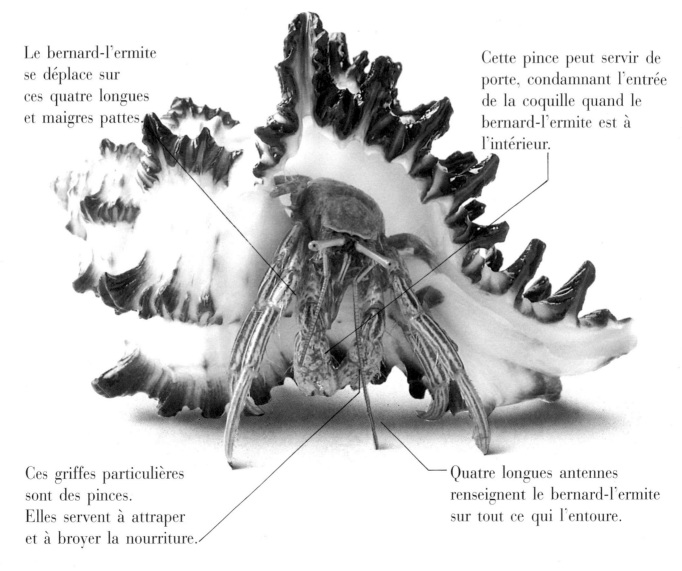

Le bernard-l'ermite se déplace sur ces quatre longues et maigres pattes.

Cette pince peut servir de porte, condamnant l'entrée de la coquille quand le bernard-l'ermite est à l'intérieur.

Ces griffes particulières sont des pinces. Elles servent à attraper et à broyer la nourriture.

Quatre longues antennes renseignent le bernard-l'ermite sur tout ce qui l'entoure.

Ce bernard-l'ermite s'est installé dans la coquille
vide d'un murex. Son corps est mou :
sans la protection de la coquille,
il serait complètement sans défense.

Il y a de nombreux
compartiments dans cette
coquille. Le bernard-l'ermite se
roule en boule pour se loger
exactement dans une des
cavités.

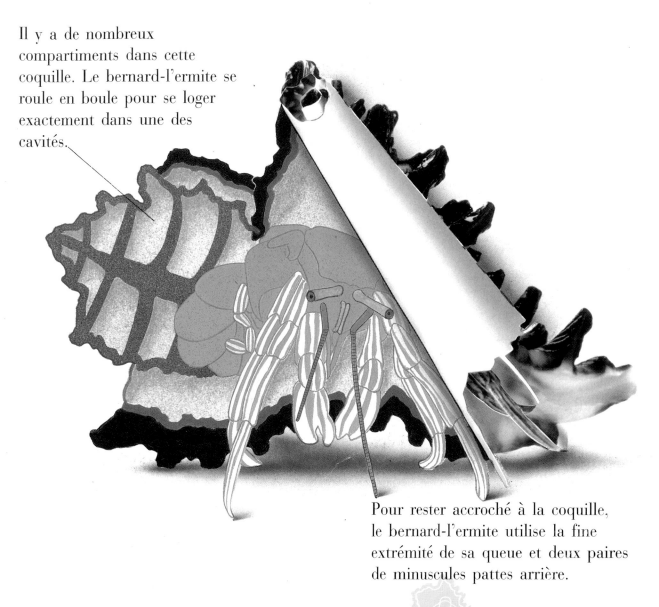

Pour rester accroché à la coquille,
le bernard-l'ermite utilise la fine
extrémité de sa queue et deux paires
de minuscules pattes arrière.

17